JAN 2007

D0289075

Dans le ventre du lapin

PETAWAWA
PUBLIC LIBRARY

Les Éditions du Boréal remercient le Conseil des Arts du Canada
ainsi que le ministère du Patrimoine canadien et la SODEC
pour leur soutien financier.

Les Éditions du Boréal bénéficient également du Programme
de crédit d'impôt pour l'édition de livres du gouvernement
du Québec.

© 2002 Les Éditions du Boréal
Dépôt légal : 1er trimestre 2002
Bibliothèque nationale du Québec

Diffusion au Canada : Dimedia
Distribution et diffusion en Europe : Les Éditions du Seuil

Données de catalogage avant publication (Canada)
    Chauveau, Philippe, 1960-
    Dans le ventre du lapin
    (Boréal Maboul)
    (Les Aventures de Billy Bob ; 8)
    Pour enfants de 6 à 8 ans.
    ISBN 2-7646-0174-3

    I. Simard, Rémy. II. Titre. III. Collection. IV. Collection : Chau-
veau, Philippe, 1960- . Aventures de Billy Bob ; 8.

PS8555.H439D36   2002   jC843'.54   C2002-940243-3
PS9555.H439D36   2002
PZ23.C42Da   2002

Dans le ventre du lapin

texte de Philippe Chauveau
illustrations de Rémy Simard

Boréal Maboul

1

Chaud lapin

Il y a trois hommes, un lapin et une odeur de chocolat dans la grande cuisine. Le lapin est couché et il fait plus de quatre mètres de long. Il est encore chaud. C'est le chef-d'œuvre de Chef Richard. Le plus grand lapin de Pâques du monde.

Le premier des trois hommes est petit, vert et silencieux comme une feuille de salade dans un réfrigérateur. C'est Billy Bob. Il trouve que l'odeur est aussi chaude, aussi lourde et aussi épaisse qu'un lutteur de sumo

qui a trop chaud. Il n'aime pas sentir les lut-
teurs de sumo qui ont trop chaud.

Le deuxième homme, plus grand et plus
gros, ne dit rien, mais son estomac grogne
comme un tigre affamé devant une boîte de
nourriture pour tigres. C'est Bobo. Il est
impressionné par le plus grand lapin de

Pâques du monde. Quand Bobo est impressionné, il commence à avoir faim. Là, il est terriblement impressionné.

Le troisième homme pleure en reniflant un oignon. C'est Chef Richard. Il sent des oignons et pleure parce qu'un vrai grand chef doit toujours pleurer devant son chef-d'œuvre.

Billy Bob, le premier des trois hommes, est devenu plus vert qu'une soupe aux épinards moisie. Il a besoin d'air. Il va dehors et respire un grand coup quand, derrière lui, de la cuisine, s'élève soudain un hurlement :

— HAAAAAAA! HAAAAA! HAA! HAA! HAAAAAA!

2

Mauvais lapin

C'est la voix de Chef Richard !

Billy Bob a les réflexes plus aiguisés que la griffe du bébé chat déchirant un fauteuil. Il bondit en direction du cri.

Dans la cuisine, il voit Chef Richard arracher un objet brun des mains de Bobo et le jeter par terre. Chef Richard recommence à hurler en piétinant l'objet. Bobo reste immobile, bouche ouverte, tel le poisson vidangeur collé à la vitre de l'aquarium. Billy Bob, inquiet, demande :

— Qu'est-ce que c'est que cet objet ? Un
serpent à lunettes ? Une vilaine araignée
venimeuse et velue ? Une plante carnivore ?

Il se demande si son ami Bobo a été mordu et s'il faut le conduire à l'hôpital. Mais Bobo semble se réveiller. Il proteste :

— Mon lapin ! C'est mon lapin en chocolat !

Billy Bob est rassuré : aucun lapin en chocolat n'a jamais mordu personne. Il dit :

— Vous m'avez fait peur en criant comme ça. Qu'est-ce qui est arrivé ?

Chef Richard cesse de hurler et de piétiner. Il regarde Bobo avec des éclairs dans les yeux. Il explose :

— Ce lapin était un mauvais lapin, Bobo. Je t'interdis de manger un mauvais lapin devant mon chef-d'œuvre. Ça ne se fait pas.

Bobo riposte :

— Ça n'existe pas, un mauvais lapin de Pâques ! Tous les enfants le savent : un lapin de Pâques n'est jamais vraiment, vraiment mauvais. Jamais.

Chef Richard insiste :

— Le chocolat était de mauvaise qualité. Dans les mauvais chocolats, ils mettent de la cire, beaucoup trop de sucre et pas assez de cacao.

Bobo regarde son ami Billy Bob avec une larme dans la voix :

— Chef Richard est devenu fou. J'allais croquer un tout petit lapin de rien du tout quand il s'est jeté dessus pour l'écraser.

À ce moment, on sonne à la porte. Chef Richard sort de la cuisine pour répondre. Billy Bob veut rassurer son ami Bobo, parce que c'est son ami. Il s'approche et dit :

— Chef Richard n'est pas dans son état normal. Quand les gens ont quelque chose d'important dans leur vie, il leur arrive d'agir bizarrement. Et ce grand lapin est très important pour Chef Richard.

Bobo n'est pas content. Il grince :

— Chef Richard a trop de sucre, de la cire et pas assez de cacao entre les oreilles. Un lapin de Pâques n'est jamais vraiment, vraiment mauvais.

La voix de Chef Richard les appelle dehors. Ils sortent à leur tour. Chef Richard tient un bébé lapin dans ses bras. Le lapereau agite les oreilles, bouge le nez. Billy Bob demande :

— Qui a apporté ce lapin ? Ce n'est quand même pas lui qui a sonné.

Bobo propose :

— Il y a des lapins qui sautent très très haut.

Mais Billy Bob n'est pas convaincu :

— C'est un peu trop bizarre. Je crois qu'on ferait mieux de retourner voir le grand lapin. Et vite !

3
Horreur !

Dans la grande cuisine, c'est l'horreur. L'horreur du vide : le grand lapin de Pâques de Chef Richard a disparu. Il n'en reste même pas un éclat d'ongle d'orteil. Il ne reste que son absence, plus lourde et plus triste qu'une éléphante qui a perdu son éléphanteau.

Billy Bob et Bobo se précipitent au fond de la pièce. Deux larges portes donnent sur l'extérieur, à l'arrière de la maison. Elles ne sont pas fermées à clé. Le voleur est sûrement passé par ici. Billy Bob et Bobo en font autant.

Là-bas, tout au loin, un petit véhicule grimpe lourdement une colline. Il se dirige vers une très grosse et très vieille maison. Billy Bob serre les poings. Son regard est dur et gris comme un caillou dur, gris et coupant. Il siffle entre ses dents serrées :

— C'est sûrement lui. Mon instinct me dit que c'est lui. Rattrapons-le.

Bobo ne pose pas de questions. Il connaît bien Billy Bob. Il a déjà vécu sept aventures avec lui. Il sait que l'instinct de son ami le trompe rarement. Et il sait aussi qu'il ne faut pas se mettre dans le chemin de Billy Bob quand il a ce regard.

Ils reviennent chercher Chef Richard. Celui-ci a sorti des rondelles d'oignon de ses poches. Il pleure à chaudes larmes et sanglote :

— Un grand chef pleure toujours lorsqu'il perd son chef-d'œuvre.

Ses deux amis l'entraînent vers leur petite voiture qui démarre en faisant beaucoup de bruit et de poussière.

Ils parviennent bientôt à la très vieille et très grosse maison. Elle a l'air d'une maison hantée avec ses vitres brisées et ses herbes folles. Un petit tracteur et sa remorque sont garés devant le perron.

Bobo repère un écriteau qui dit : « Attention, lapin méchant ». Il lance à ses amis :

— Je crois que j'ai trouv…

Mais ses amis sont déjà dans la maison. Il les rejoint. La maison semble vide. Ils appellent. Personne ne répond. Ils montent un escalier, parcourent un long corridor, visitent les pièces, puis descendent au sous-sol. Rien de rien. Ils ne trouvent rien ni personne. Rien qu'un petit lapin en chocolat tout seul, tout abandonné, debout au milieu du sous sol. Bobo est ému. Il n'aime pas voir un petit lapin en chocolat abandonné. Il a très envie de le prendre, de le rassurer, et de le garder bien au chaud dans son estomac :

— Viens petit, petit…

Une sonnerie retentit dans la tête de Billy Bob. Une sonnerie qu'il est le seul à entendre, mais qu'il connaît bien. Ce n'est pas la sonnerie de la récréation. C'est son instinct qui sonne l'alarme. Il lui dit que quelque chose ne tourne pas rond dans ce lapin.

Bobo s'avance.

Billy Bob s'écrie :

— Non, Bobo ! N'y touche surtout pas !

Gorille de Pâques

Bobo continue à avancer vers le petit lapin solitaire en disant :

— Je ne lui veux pas de mal. Je veux juste le mettre au chaud dans mon estomac.

La sonnerie carillonne de plus en plus fort dans la tête de Billy Bob. Il répète avec beaucoup d'urgence dans la voix :

— Non, Bobo, non !

Mais Bobo est bien décidé. Il n'a rien grignoté depuis le début de cette histoire. Il répond, un peu fâché :

— Celui-là, personne ne me l'enlèvera.

Billy Bob a reconnu la voix de l'estomac de
Bobo. Il ne discute plus. Il sait que l'estomac
de Bobo n'a pas d'oreilles. Il s'élance vers son

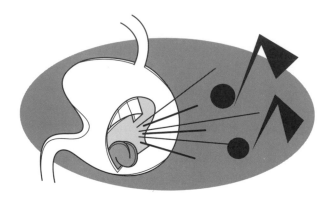

ami et lui fait un croc-en-jambe. Bobo tombe
lourdement sur le ventre et rebondit un peu.
Billy Bob lui saute sur le dos pour l'empêcher
de se relever. Il lui ordonne :

— Attends un peu, espèce d'estomac sur
pattes. Et regarde…

Billy Bob ramasse un bâton. Il s'en sert pour faire tomber le lapin. Aussitôt, trois objets orange, en forme de carotte, sifflent dans les airs et viennent se planter dans le plancher près du lapin : SPLOCHE ! SPLOCHE ! SPLOCHE !

Ils explosent en projetant une sorte de crème brune qui sploche tout autour. Bobo, tout blanc, se rend compte que Billy Bob vient de lui éviter des tas d'ennuis. Chef Richard s'approche du tas brun que les explosions ont laissé. Il le touche. Il le renifle. Il conclut :

— C'est du chocolat ! Du très mauvais chocolat !

Bobo, pâle comme une betterave dans un verre d'eau de Javel, dit :

— Merci, Billy Bob… Sans toi… J'aurais été transformé en… en… en poussin en chocolat.

Billy Bob sourit :

— Toi ? En poussin ? Peut-être en poussin de gorille, alors. Je tremble quand j'imagine un nid rempli de poussins comme toi. Mais nous avons d'autres choses à faire. Ce lapin était piégé. Je suis certain, maintenant, que le voleur n'est pas loin. Il faut le trouver.

Pendant que Billy Bob se creuse la cervelle, Bobo examine le tas brun. Les oreilles du lapin dépassent encore. Le reste a été recouvert par les explosions. Bobo a vécu toutes sortes d'émotions aujourd'hui. Et quand il vit de grosses émotions, Bobo se met à avoir une grosse faim.

Il se dit qu'il n'y a plus de danger. Il tire sur les oreilles du lapin. Le lapin ne bouge pas. Bobo tire plus fort. Sans résultat. Son estomac vient l'aider. À eux deux, ils tirent en faisant toutes sortes de bruits :

— Hummmm, c'est du chocolat, grrrrr, à prise rapide, ahhhhh…

Billy Bob, qui essaie de se concentrer, trouve que l'estomac de Bobo ne lui est pas d'une grande utilité.

Bobo et son estomac tirent tellement fort que le plancher est arraché dans un grand craquement.

5

Super-super

Bobo se retrouve sur le derrière. Un morceau de plancher se dresse à la verticale vers le plafond. Bobo dit :

— Ça alors. J'ai arraché le plancher. Cette maison est mal entretenue.

Billy Bob trouve que l'estomac de Bobo est parfois d'une grande utilité. Le plancher n'a pas été arraché : Bobo a simplement découvert une trappe ! Les trois amis contemplent le trou sombre qui descend sous la maison. Bobo a un léger frisson :

— Il fait plus noir là-dedans que dans le ventre d'un lapin en chocolat.

Billy Bob descend le premier. Ses amis le suivent, le cœur un peu serré. Ils descendent, descendent, de prudente marche en prudente marche. Il peut y avoir des pièges. Ils se méfient de tout. Personne n'a envie d'être transformé en énorme poussin de gorille de Pâques.

Enfin, une petite lumière dessine la forme d'une porte. Les trois se regroupent devant le seuil d'une nouvelle pièce.

— Chut ! fait Billy Bob avec son doigt.

Il glisse un œil dans la salle. Bobo et Chef Richard font de même.

Le lapin géant de Chef Richard est couché au centre d'une cave. Autour de lui, il y a des paquets de machins étranges et de trucs bizarres. Il y a des centaines de fils de toutes les couleurs. Un câble descend du plafond ; il est fixé à un anneau de métal qui entoure la tête du lapin.

Il y a aussi un autre lapin qui sautille dans la pièce. Un lapin blanc grand comme un homme. Un lapin qui porte des lunettes rouges. Bobo chuchote :

— Des lunettes ? Ce gros lapin ne mange pas assez de carottes. Il a de drôles de marques sur le ventre. On dirait les lettres S et L. Je ne serais pas surpris si ce n'était pas un vrai lapin.

Billy Bob soupire :

— Ce n'est pas un vrai lapin, Bobo. Si je ne me trompe pas, c'est le voleur.

Bobo commente :

— Déguisé en lapin ? Lamentable. Mais qu'est-ce que ça veut dire ces lettres ? Super-Lion ? Super-Lama ? Super-Laveuse à vaisselle ?

— Chut ! fait Billy Bob. J'essaie de trouver un plan.

Bobo propose :

— On entre, on attrape le Super-Lamen-
table et on mange le gros lapin.

Chef Richard conteste :

— Personne ne touche à mon cher lapin.

Bobo sursaute :

— Quoi ? Qu'est-ce que c'est que cette histoire ? D'abord, on ne peut pas manger les mauvais lapins. Maintenant, on ne peut pas manger les bons lapins. On ne mange jamais rien, alors ?

À ce moment, le voleur s'approche du lapin. Chef Richard, tremblant de rage, entre dans la pièce en s'écriant :

— Je vous défends de toucher à ce lapin, espèce de, d'ignoble Super… euh… Super…

Chef Richard hésite. Bobo fait un pas en suggérant :

— Livreur de pizza, espèce de Super-Livreur de pizza !

Il vit !

Billy Bob se place à côté de ses amis. Le voleur de lapin demande, surpris :

— Qu'est-ce que vous faites ici ? Et qui est ce super-livreur de pizza ? J'espère que vous n'avez pas fait livrer une pizza. Je déteste les pizzas et c'est une maison privée, ici. Vous n'avez pas le droit d'y être.

Chef Richard reprend, la voix tendue :

— Ce lapin est à moi. Vous me l'avez volé.

Bobo intervient :

— Les lettres S et L, ça ne veut pas dire Super-Livreur de pizza ?

Le voleur à grandes oreilles se met à sautiller sur place :

— Non ! Ça veut dire Super-Lapin. C'est moi, Super-Lapin, le super-méchant qui grignote une carotte plus vite que son ombre. Moi ! Moi ! Moi ! Et ce lapin en chocolat aussi est à moi ! À moi ! À moi !

Chef Richard rejoint son lapin. Il le serre par le cou en clamant :

— Non. Il est à moi ! À moi ! À moi ! ! ! Espèce de voleur.

— À moi ! À moi ! À moi ! ! ! sautille Super-Lapin. Il commence à se chamailler avec Chef Richard puis, tout à coup, il recule. Il sort une carotte de son costume. Il la lève et menace :

— Attention, cette carotte est armée !
Reculez maintenant.

Billy Bob ne recule pas. Il reste sur place,
solide comme mille statues de pierre. Il dit
calmement :

— Nous sommes trois et vous êtes seul. Vous n'avez aucune chance. Rendez-nous ce lapin en chocolat. Il appartient à mon ami, et je ne laisserai personne s'emparer des lapins de mes amis.

Bobo ajoute, en serrant ses poings gros comme son appétit :

— Je suis d'accord. Plus personne ne vole le lapin de personne.

Super-Lapin grimace un sourire :

— Je ne suis pas seul. J'ai placé un micro-processeur dans ce lapin. Dans un instant, il sera en vie et il n'aura qu'un seul maître : moi !

Les trois amis avancent doucement. Super-Lapin recule lentement en continuant à parler :

— Dans une semaine, ce sera Pâques. Grâce à mon invention, tous les lapins de Pâques de toutes les maisons seront en mon pouvoir. Ce lapin géant sera le commandant d'une armée de lapins en chocolat qui dominera le monde.

Il lance un horrible rire, grinçant comme la dent du lapin sur une fausse carotte en verre. Il se tourne vivement et se précipite vers le mur. Billy Bob se méfiait de ce Super-Lapin. Il est déjà sur son dos. Bobo arrive à la rescousse.

Il saute sur le dos de Billy Bob. Le poids est trop grand pour Billy Bob : il lâche prise. Super-Lapin bondit alors jusqu'à une manette qu'il abaisse.

Des lumières clignotent de tous les côtés. Un bourdonnement sourd remplit la pièce. Des tas de roues se mettent à tourner. Un éclair aveuglant descend le long du câble et va frapper la tête du lapin géant : SCHLACK!!!

Les trois amis se protègent le visage avec leurs bras. Puis tout s'arrête. Le bourdonnement s'éteint.

— C'est tout ? demande Bobo.

— IL VIT! hurle Super-Lapin, d'une voix démente. IL VIT!!!

7

Mon lapin

Dans la salle, le silence s'épaissit comme le jello dans le réfrigérateur. Chef Richard murmure :

— Il a bougé !

— Impossible, fait Billy Bob, un lapin en chocolat, ça ne bouge pas plus qu'une pinte de lait.

Bobo corrige :

— Ça dépend du temps qu'elle a passé dans le réfrigérateur. J'ai connu une pinte de lait qui m'a battu à la course.

À ce moment, le lapin est saisi d'un frémissement long comme une langue de caméléon. Ses yeux brillent, bougent, deviennent liquides, deviennent des lacs bruns. Il bouge une oreille. L'autre oreille.

Les trois amis le regardent avec horreur. D'un seul coup, le grand lapin se redresse en arrachant tous les fils qui l'attachaient. Il est gros, il est immense, il est en chocolat ! Super-Lapin crie :

— Ce sont des carottes ! Mange-les...

Le grand lapin tourne ses yeux liquides vers Billy Bob. Il fait un pas. Le sol tremble. Il fait un autre pas. Billy Bob dit, avec tout son sang-froid :

— Je pense qu'on devrait s'en aller.

Les trois amis s'élancent vers la sortie. Le

lapin bondit vers Billy Bob. Il le prend pour une espèce de carotte à pattes vertes. Billy Bob veut attirer le lapin pour sauver ses amis. Il s'arrête, fait demi-tour, puis fonce vers la créature avec le courage de la puce qui fonce sur le dinosaure. Billy Bob évite un premier coup de patte. Le lapin penche la tête. Une gigantesque oreille frappe Billy Bob de plein fouet. Il est par terre, à demi assommé. Soudain, le lapin le prend entre ses pattes et le soulève dans les airs.

BONG !

Le lapin vibre jusqu'au bout de ses moustaches. C'est Bobo qui vient à la rescousse de son ami. Il tape sur le lapin avec un morceau de bois. Chef Richard vient l'aider. Le lapin ne se laisse pas déranger. Aucun lapin n'a jamais été dérangé par aucune carotte, même quand ces carottes marchent. Il ouvre une bouche brune et gigantesque…

Bobo et Chef Richard ne veulent pas que leur ami se retrouve dans le ventre d'un lapin. Mais ils ne savent pas quoi faire. Ce lapin est trop gros, et trop fort, et trop en chocolat. Alors ils recommencent à se disputer. Bobo grogne :

— Pas assez de sucre ni de cire dans ce lapin. Il est trop bon.

Chef Richard le reprend :

— Il n'est pas trop bon. Il est très mauvais, ce lapin de Pâques. Il va manger Billy Bob. C'est un lapin vraiment très mauvais.

En entendant ces mots, Billy Bob a une idée. Il crie à Chef Richard :

— Les oignons… Vite… Reniflez-les et pleurez ! Pleurez !

Chef Richard va protester, mais Billy Bob ordonne :

— Dépêchez-vous. Toi aussi Bobo.

Chef Richard et Bobo pensent que Billy Bob devient fou, mais ils veulent lui faire plaisir une dernière fois. Ils reniflent les oignons et se mettent à pleurer. Et plus ils

pensent au sort de leur ami, plus ils pleurent, pleurent, pleurent…

Billy Bob se sent comme une carotte
qui voit venir sa dernière heure. Les dents
du lapin de Pâques, les dents grandes
comme des ongles d'orteils de mammouth,
se referment sur lui. Mais elles s'arrêtent à un

centimètre de sa tête. Le lapin retire Billy Bob de sa bouche. Il regarde Bobo et Chef Richard. Il penche un peu la tête à droite. Il penche un peu la tête à gauche. Il renifle Bobo et Chef Richard. Il leur donne un petit coup de patte.

Chef Richard et Bobo pleurent de plus belle. Le lapin laisse tomber Billy Bob et prend les deux autres entre ses pattes. Il va les dévorer? Il aime peut-être mieux ses carottes avec des oignons?

Non! Il les serre tendrement dans son pelage en chocolat. Il les berce. Il les lèche. Puis une larme en chocolat, grosse comme une citrouille, gonfle au coin de son œil, glisse sur sa joue. La larme s'arrête et se fige. Puis le lapin a un tremblement. Ses yeux se figent à leur tour, ses yeux redeviennent en chocolat. Il ne bouge plus.

Super-Lapin se précipite sur le lapin géant. Il lui donne des coups de pieds en criant :

— Vas-y. Mords-les… Détruis-les… Je suis ton maître…

Mais le lapin ne bougera plus jamais. Il est redevenu un lapin ordinaire en chocolat ordinaire. Billy Bob regarde Super-Lapin avec des yeux en forme de cage à lapin :

— Super-Lapin, tes carottes sont super-cuites !

Super-Lapin se précipite vers le câble qui était branché sur la tête du lapin en chocolat. L'anneau de métal est cassé, mais Super-Lapin se branche le câble directement sur la tête en grimaçant :

— Je vais devenir super fort… super indestructible…

Il abaisse la manette : SCHLACK !

 Cœur de lapin

Deux jours plus tard, dans une salle de fête, les trois amis contemplent le grand chef-d'œuvre de Chef Richard. Près du mur, la tête de Super-Lapin dépasse d'un énorme pot à fleurs.

Bobo dit doucement :

— Triste fin pour Super-Lapin. Il se prend maintenant pour Super-Carotte !

Chef Richard est très, très heureux. Dans quelques minutes, les enfants vont venir admirer son lapin. Il demande à Billy Bob :

— Tu ne nous as pas encore expliqué pourquoi mon lapin s'était arrêté.

Billy Bob explique :

— Bobo avait raison. Ça n'existe pas, un lapin de Pâques vraiment mauvais. Quand il vous a vus pleurer, il est devenu tellement triste que son cœur de chocolat a fondu ! Et ça, ça ne pardonne pas…

Bobo l'interrompt :

— Eh ! Quelque chose est coincé sous le bras du lapin.

Bobo tend la main. Billy Bob hurle :

— NON ! N'y touche pas ! C'est…
SPLOCHE !

C'est quoi, Maboul ?

Quand tu commences à lire, c'est parfois difficile.

Avec **Boréal Maboul,** ça devient facile.

- Tu choisis les séries qui te plaisent.
- Tu retrouves tes héros favoris.
- Les histoires sont captivantes.
- Les chapitres sont courts.
- Les mots et les phrases sont simples.
- Les illustrations t'aident à bien comprendre l'histoire.

Les Éditions du Boréal
4447, rue Saint-Denis
Montréal (Québec) H2J 2L2
www.editionsboreal.qc.ca

MISE EN PAGES ET TYPOGRAPHIE :
LES ÉDITIONS DU BORÉAL

CE TROISIÈME TIRAGE A ÉTÉ ACHEVÉ D'IMPRIMER EN MARS 2005
SUR LES PRESSES DE L'IMPRIMERIE MÉTROLITHO
À SHERBROOKE (QUÉBEC).